BANANA DIARY
2021-2022
力をくれるもの

はじめに

吉本ばなな

このBANANA DIARYを2019年の末に出したときには、まさか2020年がこんなにものすごい年になるとは思いませんでした。
でも、実はそんなことはなかったのだと後から気づきました。とんでもないことが起きると予想していたからこそ、一度はたち消えそうになった企画を、前の担当者をしょげさせてまで、どうしても作りたかったような気がしてならないのです。

自分の1年を退屈や苦痛だけで埋めないために、小さな力を思い出すものとして、この書籍は存在します。
文章の本として成り立たなければ、私の名前を冠している意味はないんだなということもわかってきました。
なので、年間のテーマを決めて、字数を少し増やしました。しょせんは同じ人が思いつくことなので昨年と似たようなことも書いてありますが、少し「力寄り」に文章を変えてあります。DIARYとして使わない人やなにも書き込まない人でも、きれいな書籍として楽しんでいただけたら幸いです。他の効率的な手帳を使ってこちらにはあるひとつのジャンルだけ書き込んだりするのもすてきです。好きなように使って、少しも制限を感じてほしくないのです。
この手帳が何年かにわたって数冊きれいに、あるいはボロボロになって家に並んでいたら、その年月は特別な「私たちの」人生の日々であります。そこには私のエゴはありません。ただ、みなさんが良き時間を少しでも多く過ごせますようにという祈りだけです。

「私たち」が少しでも明るく機嫌よくあろうとすることは、きっとつながっていて、自分ひとりでは立ち直れないようなことでも、「今みんなが同じ空の下でこの手帳を開いて、少しでも楽しくあろうとしているんだ」と思うときに、小さな力を足してくれます。

桜井由佳さんのほんとうに上機嫌でポジティブな姿が、ここに展開された私の思想をしっかり華やかに支えてくださっています。天使みたいなあなたがこの世にいることが、どんなにみんなの救いになっているか。

そして中島英樹さんの底知れない才能が、この本を「かわいいDIARY」には決してさせないのもありがたいです。男性にもきれいな色が必要なときはあるので、おかげさまで男性も持つことができます。

おふたりの才能に、ありがとうございます。

幻冬舎の石原正康さん、壷井円さん、西山治希さん、すばらしいあなたたちとこんなすてきなお仕事ができることを、いつも心から幸せに思い、感謝しています。

そしてこの手帳と共に新しい年を歩むみなさん。ほっといても、忘れていても、メモ帳でもいいから、そばに置いてくれたみなさん。

力をもらっているのはいつも私のほうです。

同じ空の下で同じ困難な時代を共に過ごしてくださって、ありがとうございます。

12

2020
December

SUN	MON	TUE	WED	THU	FRI	SAT
		1 友引	2 先負	3 仏滅	4 大安	5 赤口
6 先勝	7 友引	8 先負	9 仏滅	10 大安	11 赤口	12 先勝
13 友引	14 先負	15 大安	16 赤口	17 先勝	18 友引	19 先負
20 仏滅	21 大安	22 赤口	23 先勝	24 友引	25 先負	26 仏滅
27 大安	28 赤口	29 先勝	30 友引	31 先負		

一生に1回しかなかった今年が終わる。
そんなふうに思うと、この1年にあったなにもかもが切なくて、ありがたくて、楽しく思える。
いろんなことにしっかり手をふって、笑顔でちゃんとお別れしよう。

1

2021
January

ミントガムを数枚いっぺんに噛んで冷たい空気を鼻から思い

SUN	MON	TUE	WED
3 赤口	4 先勝	5 友引	6 先負
10 先勝	11 友引 成人の日	12 先負	13 赤口
17 仏滅	18 大安	19 赤口	20 先勝
24 大安 31 赤口	25 赤口	26 先勝	27 友引

いこんでみよう。目が覚めるしちょっと笑えてくる。

THU	FRI	SAT
	1 仏滅 元日	2 大安
仏滅	8 大安	9 赤口
4 先勝	15 友引	16 先負
友引	22 先負	23 仏滅
先負	29 仏滅	30 大安

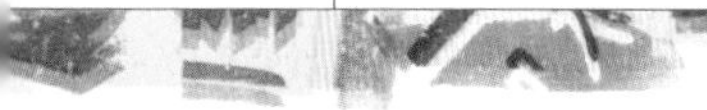

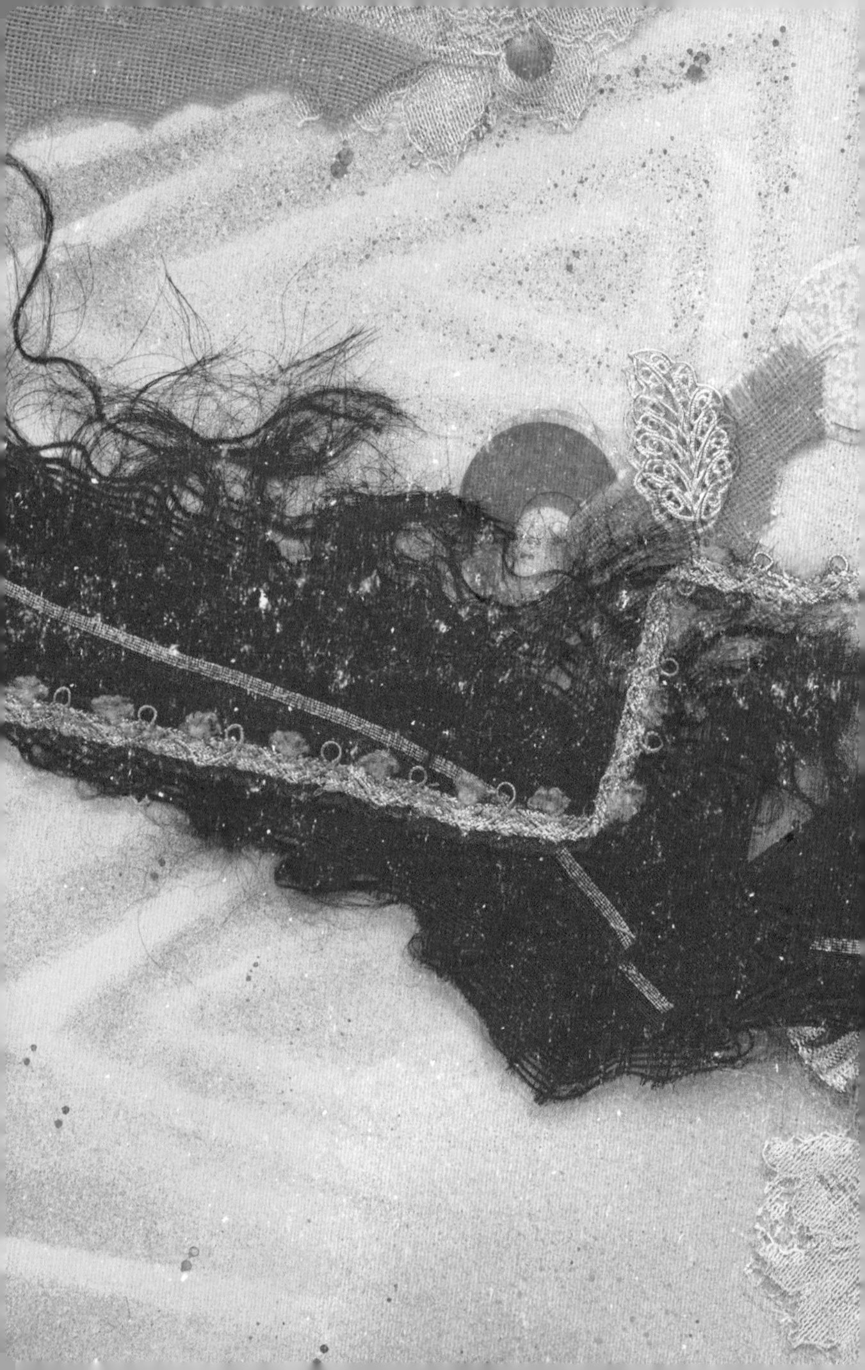

2 2021 February

SUN	MON	TUE	WED
	1 先勝	2 友引	3 先負
7 先勝	8 友引	9 先負	10 仏滅
14 先負	15 仏滅	16 大安	17 赤口
21 仏滅	22 大安	23 赤口 天皇誕生日	24 先勝
28 大安			

THU	FRI	SAT
仏滅	5 大安	6 赤口
大安 記念の日	12 先勝	13 友引
先勝	19 友引	20 先負
友引	26 先負	27 仏滅

去年の節分に何をしていたか思い出してみる。
その後のいろいろな展開も思い出してみる。
そして知る、確かに切り替わる日かもと。

3 2021 March

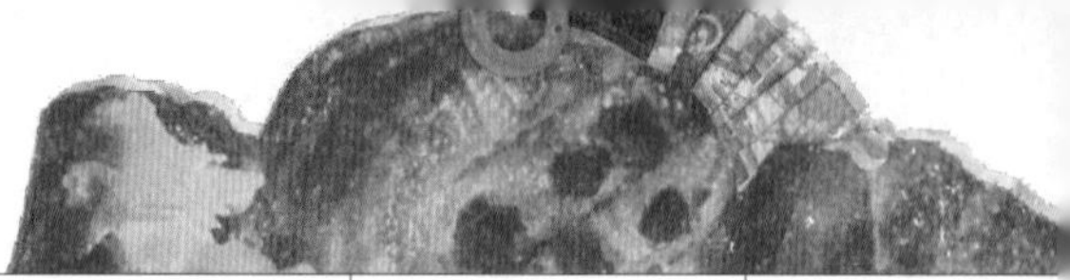

SUN	MON	TUE	WED
	1 赤口	2 先勝	3 友引
7 赤口	8 先勝	9 友引	10 先負
14 先負	15 仏滅	16 大安	17 赤口
21 仏滅	22 大安	23 赤口	24 先勝
28 大安	29 赤口	30 先勝	31 友引

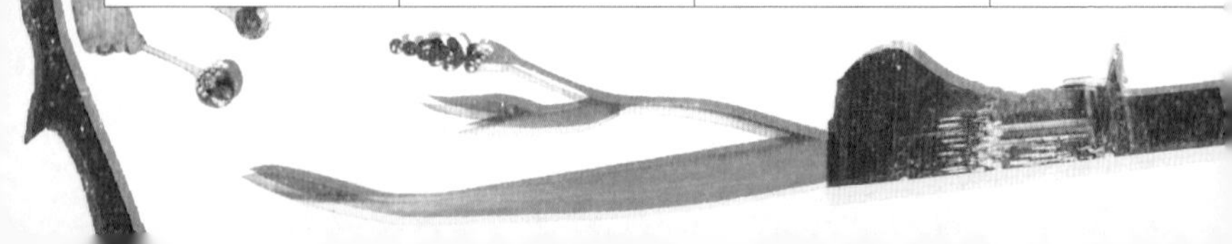

始まりの空気はいつも不安定だから、
いきなり飛ばしすぎずに若芽のようにそっと育てる。水と光をたくさんあげて。

THU	FRI	SAT
先負	5 仏滅	6 大安
仏滅	12 大安	13 友引
先勝	19 友引	20 先負 春分の日
友引	26 先負	27 仏滅

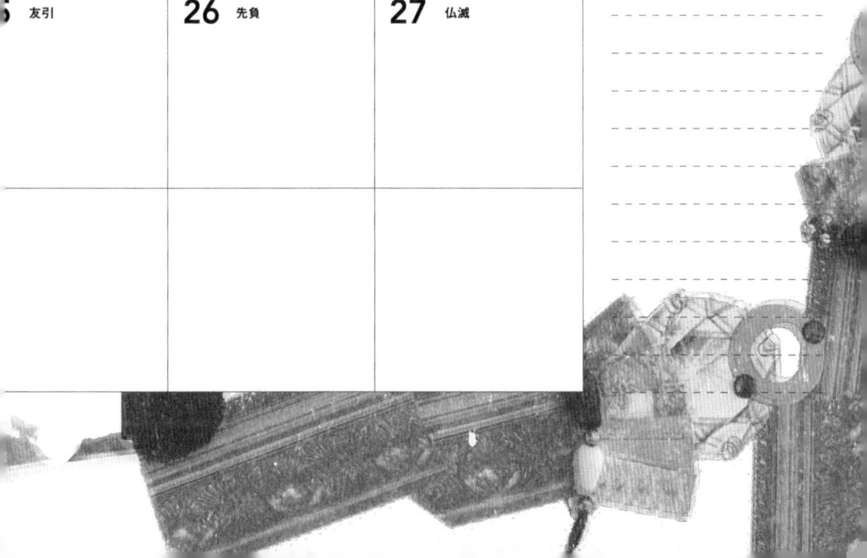

4 2021 April

どんなことがあっても桜は咲く、私が死んだ後も。
そう思って怖くなるのではなく、ただただ世界の大きさに安心しよ

SUN	MON	TUE	WED
4 赤口	5 先勝	6 友引	7 先負
11 先勝	12 先負	13 仏滅	14 大安
18 先負	19 仏滅	20 大安	21 赤口
25 仏滅	26 大安	27 赤口	28 先勝

THU	FRI	SAT
先負	2 仏滅	3 大安
仏滅	9 大安	10 赤口
赤口	16 先勝	17 友引
先勝	23 友引	24 先負
友引 の日	30 先負	

5 2021 May

ひとつでも鯉のぼりを見たら、世界中の親の気持ちを空の中に広々と泳がせるように想像してみよう。こんなにも願ってるんだ、って。

SUN	MON	TUE	WED
2 大安	3 赤口 憲法記念日	4 先勝 みどりの日	5 友引 こどもの日
9 赤口	10 先勝	11 友引	12 仏滅
16 友引	17 先負	18 仏滅	19 大安
23 先負	24 仏滅	25 大安	26 赤口
30 仏滅	31 大安		

THU	FRI	SAT
		1 仏滅
先負	7 仏滅	8 大安
大安	14 赤口	15 先勝
赤口	21 先勝	22 友引
先勝	28 友引	29 先負

6 2021 June

SUN	MON	TUE	WED
		1 赤口	2 先勝
6 大安	7 赤口	8 先勝	9 友引
13 友引	14 先負	15 仏滅	16 大安
20 先負	21 仏滅	22 大安	23 赤口
27 仏滅	28 大安	29 赤口	30 先勝

THU	FRI	SAT
友引	4 先負	5 仏滅
大安	11 赤口	12 先勝
赤口	18 先勝	19 友引
先勝	25 友引	26 先負

雨に飽きれば飽きるほど、
植物は1年分たっぷり喜んでいるんだ、という目で世界を見る。
緑の濃さが山を眺めるように大きく見えてくる。

7 2021 July

SUN	MON	TUE	WED
4 大安	5 赤口	6 先勝	7 友引
11 先勝	12 友引	13 先負	14 仏滅
18 友引	19 先負 海の日	20 仏滅	21 大安
25 先負	26 仏滅	27 大安	28 赤口

暑い外を眺めながら、涼しい部屋で冷たい飲みものを飲む。
体が冷えるなんていう言葉を少しだけ置いといて。

THU	FRI	SAT
友引	2 先負	3 仏滅
先負	9 仏滅	10 赤口
5 大安	16 赤口	17 先勝
2 赤口	23 先勝	24 友引
9 先勝	30 友引	31 先負

8 2021 August

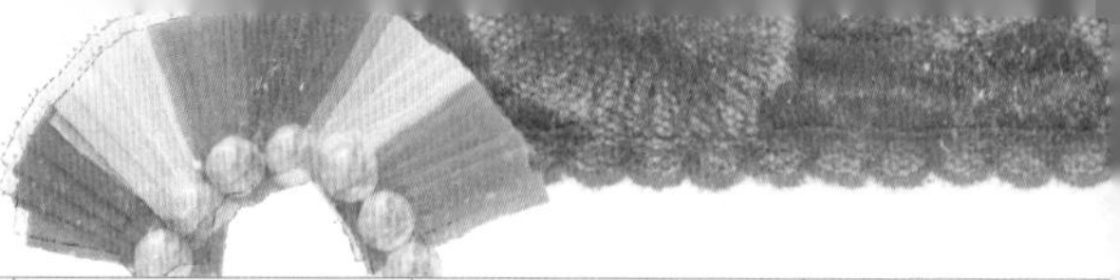

SUN	MON	TUE	WED
1 仏滅	2 大安	3 赤口	4 先勝
8 先勝	9 友引	10 先負	11 仏滅 山の日
15 友引	16 先負	17 仏滅	18 大安
22 先負	23 仏滅	24 大安	25 赤口
29 仏滅	30 大安	31 赤口	

海の水に足だけでもひたして、いらないものを流す。そして同時にチャージする
地球がくれたものを無尽蔵にもらって、ただありがとうの気持ちだけ返す。

THU	FRI	SAT
友引	6 先負	7 仏滅
大安	13 赤口	14 先勝
赤口	20 先勝	21 友引
先勝	27 友引	28 先負

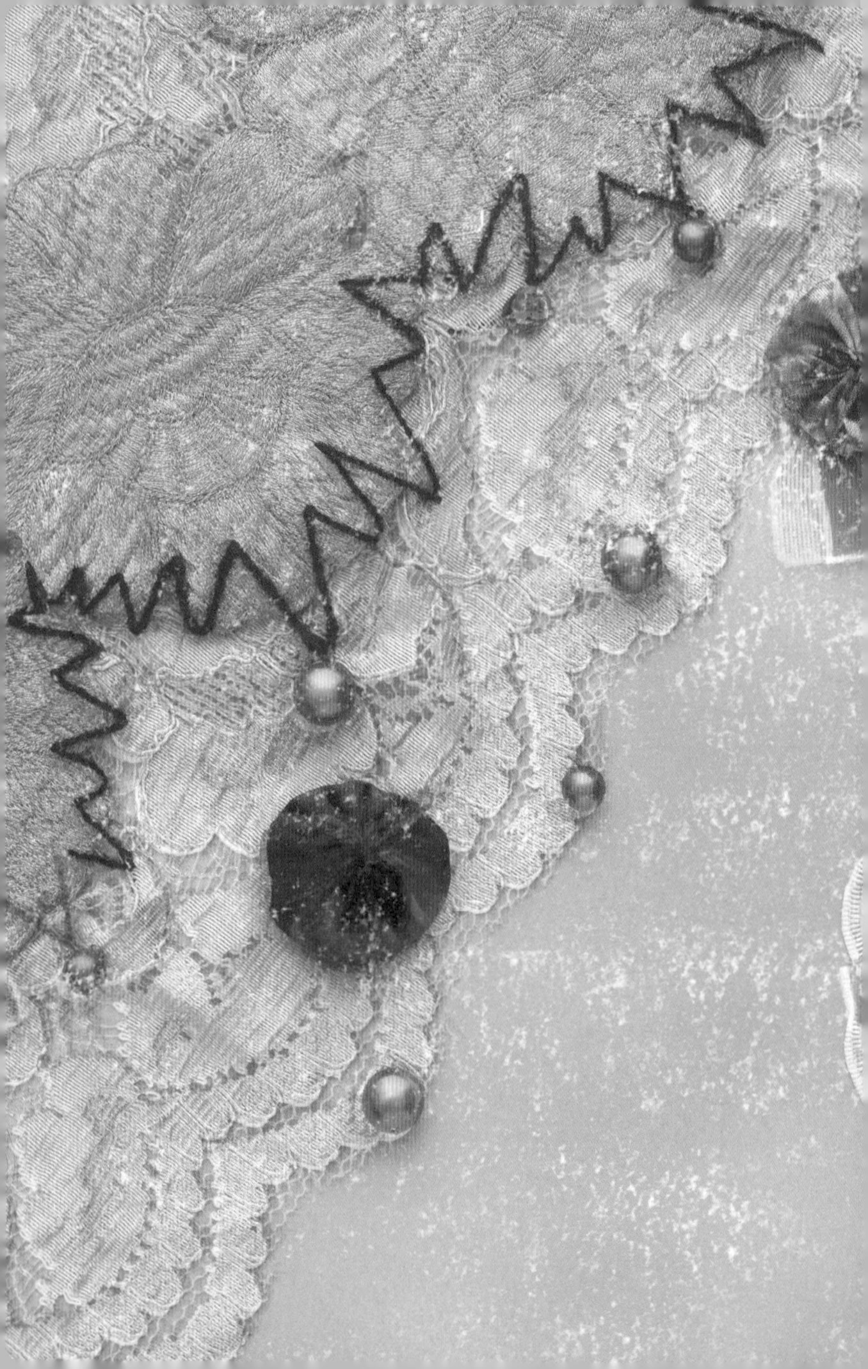

9 2021 September

秋の空気はちょっとだけ意地悪に1年の終わりを想像させ

SUN	MON	TUE	WED
			1 先勝
5 大安	6 赤口	7 友引	8 先負
12 先勝	13 友引	14 先負	15 仏滅
19 友引	20 先負 敬老の日	21 仏滅	22 大安
26 先負	27 仏滅	28 大安	29 赤口

ら思ってみる。「そろそろ本気出すか」。

THU	FRI	SAT
友引	3 先負	4 仏滅
仏滅	10 大安	11 赤口
6 大安	17 赤口	18 先勝
3 赤口 の日	24 先勝	25 友引
0 先勝		

10 2021 October

SUN	MON	TUE	WED
3 仏滅	4 大安	5 赤口	6 先負
10 先勝	11 友引 スポーツの日	12 先負	13 仏滅
17 友引	18 先負	19 仏滅	20 大安
24 先負 31 仏滅	25 仏滅	26 大安	27 赤口

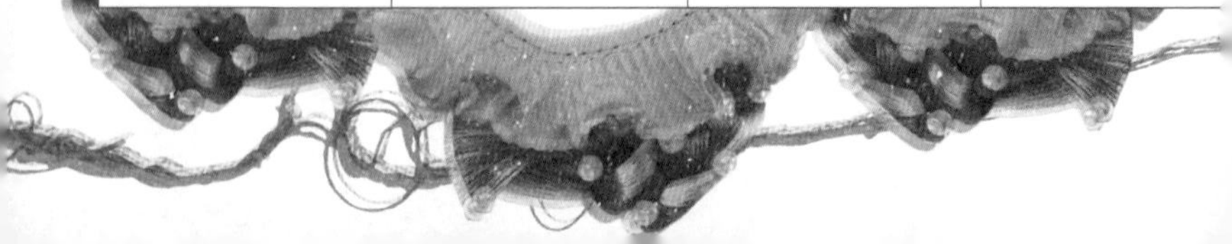

THU	FRI	SAT
	1 友引	2 先負
仏滅	8 大安	9 赤口
大安	15 赤口	16 先勝
赤口	22 先勝	23 友引
先勝	29 友引	30 先負

思いついたことひとつだけでも、秋を取りいれる。落ち葉を踏む。きのこを食べる。厚い靴下を買う。

11

2021
November

この月はいつもあっという間に過ぎてしまうか
バスに乗って、適当に降りて、散歩する。土

SUN	MON	TUE	WED
	1 大安	2 赤口	3 先勝 文化の日
7 赤口	8 先勝	9 友引	10 先負
14 先勝	15 友引	16 先負	17 仏滅
21 友引	22 先負	23 仏滅 勤労感謝の日	24 大安
28 先負	29 仏滅	30 大安	

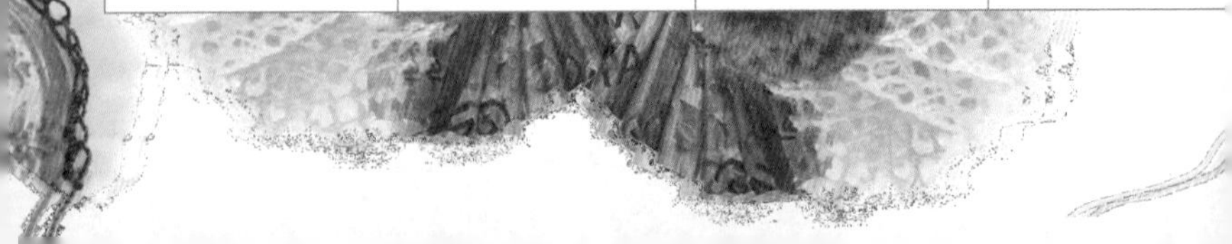

い旅をする。
たり、買い食いしたり。無為こそが自由の空気。

THU	FRI	SAT
友引	5 仏滅	6 大安
仏滅	12 大安	13 赤口
大安	19 赤口	20 先勝
赤口	26 先勝	27 友引

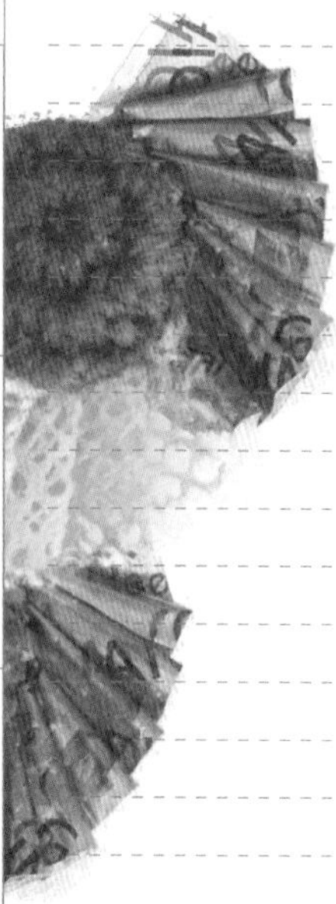

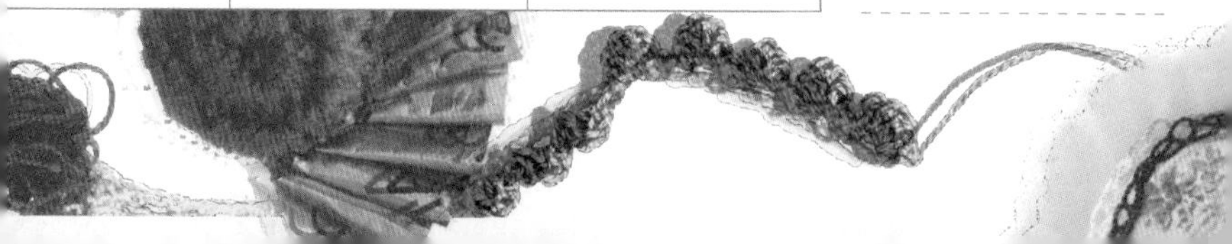

12 2021 December

悪い風邪をひかないように、毎日ちょっとだけ体に聞
何が足りない? 冷えた? 何が着たい? 眠りは足りてる
そして叶えてあげる。豊かな来年のために。

SUN	MON	TUE	WED
			1 赤口
5 赤口	6 先勝	7 友引	8 先負
12 先勝	13 友引	14 先負	15 仏滅
19 友引	20 先負	21 仏滅	22 大安
26 先負	27 仏滅	28 大安	29 赤口

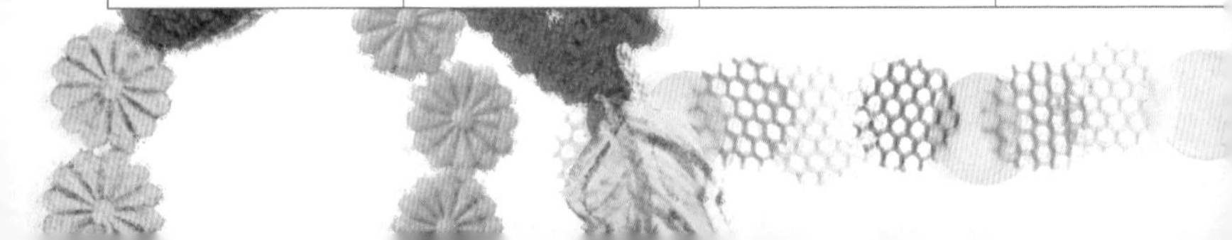

THU	FRI	SAT
先勝	3 友引	4 大安
仏滅	10 大安	11 赤口
大安	17 赤口	18 先勝
赤口	24 先勝	25 友引
先勝	31 友引	

1 2022 January

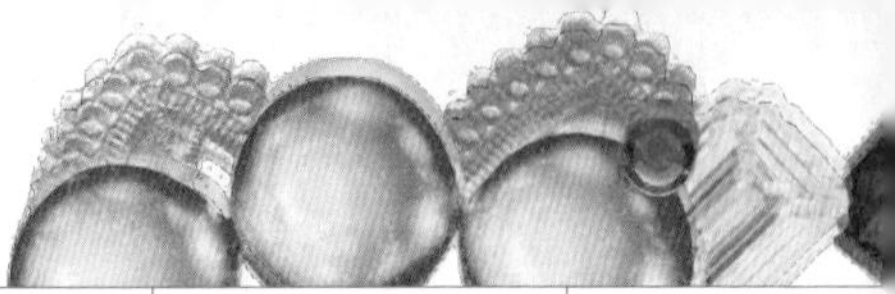

SUN	MON	TUE	WED
2 仏滅	3 赤口	4 先勝	5 友引
9 赤口	10 先勝 成人の日	11 友引	12 先負
16 先勝	17 友引	18 先負	19 仏滅
23 友引	24 先負	25 仏滅	26 大安
30 先負	31 仏滅		

お餅をいつもより余計に1個食べる。ダイエットは忘れて、おぞうに、おしるこ、いそべ、しょうゆ、きなこ砂糖、自分の好きな味で。

THU	FRI	SAT
		1 先負 元日
先負	7 仏滅	8 大安
3 仏滅	14 大安	15 赤口
0 大安	21 赤口	22 先勝
7 赤口	28 先勝	29 友引

2 2022 February

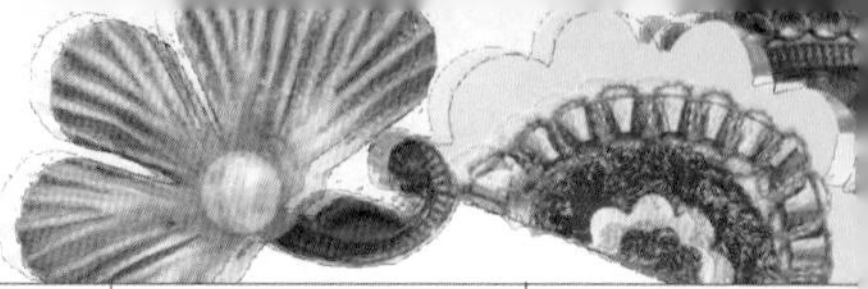

SUN	MON	TUE	WED
		1 先勝	2 友引
6 赤口	7 先勝	8 友引	9 先負
13 先勝	14 友引	15 先負	16 仏滅
20 友引	21 先負	22 仏滅	23 大安 天皇誕生日
27 先負	28 仏滅		

思い出したら、そのつど足の裏を押す。いつもよりもたくさん
毒がたまってるかもしれないから、春に備えてみんな出しておく。

THU	FRI	SAT
先負	4 仏滅	5 大安
0 仏滅	11 大安 建国記念の日	12 赤口
7 大安	18 赤口	19 先勝
4 赤口	25 先勝	26 友引

3 2022 March

SUN	MON	TUE	WED
		1 大安	2 赤口
6 大安	7 赤口	8 先勝	9 友引
13 赤口	14 先勝	15 友引	16 先負
20 先勝	21 友引 春分の日	22 先負	23 仏滅
27 友引	28 先負	29 仏滅	30 大安

両方の腎臓のあたりに手のひらをあててそっとこする。
背中がぽかぽかして気持ちがしゃんとする。

THU	FRI	SAT
友引	4 先負	5 仏滅
先負	11 仏滅	12 大安
仏滅	18 大安	19 赤口
大安	25 赤口	26 先勝
赤口		

4 2022 April

SUN	MON	TUE	WED
3 大安	4 赤口	5 先勝	6 友引
10 赤口	11 先勝	12 友引	13 先負
17 先勝	18 友引	19 先負	20 仏滅
24 友引	25 先負	26 仏滅	27 大安

山が霞んでいる感じを見に、少し遠出してみよう。
紅葉とは違う薄い色の葉っぱたちや、これから伸びていく植物の淡い色は、
冬から春に移るめまぐるしい景色に疲れた目と心をそっと休ませなじませてくれる。

THU	FRI	SAT
	1 先負	2 仏滅
先負	8 仏滅	9 大安
仏滅	15 大安	16 赤口
大安	22 赤口	23 先勝
赤口	29 先勝 昭和の日	30 友引

5 2022 May

SUN	MON	TUE	WED	THU	FRI	SAT
1 仏滅	2 大安	3 赤口	4 先勝	5 友引	6 先負	7 仏滅
8 大安	9 赤口	10 先勝	11 友引	12 先負	13 仏滅	14 大安
15 赤口	16 先勝	17 友引	18 先負	19 仏滅	20 大安	21 赤口
22 先勝	23 友引	24 先負	25 仏滅	26 大安	27 赤口	28 先勝
29 友引	30 大安	31 赤口				

「今からだ！」と目が覚めるような青空。
この国がいちばん爽やかになる自慢の気候。

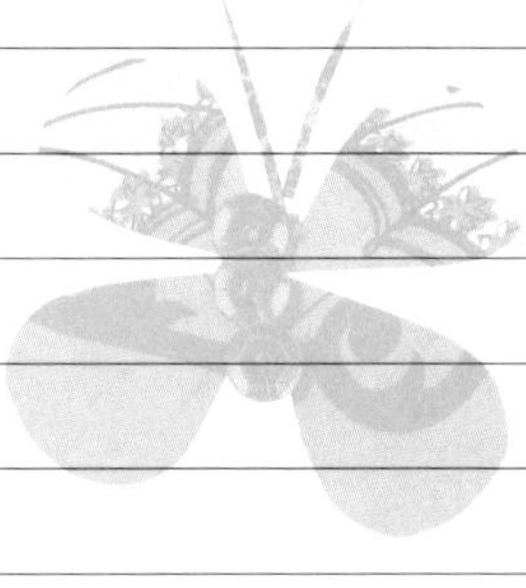

自分にとっていちばん甘い香りを思い出してみる。
香水でもいいし、秋の落ち葉の匂いや、
陽にさらされた洗濯ものの香りでもいい。
猫のお腹のあたりの匂いでもいい。
実際にかいでもいないのに、
ふわっと周りの空気が変わり、少しだけ幸せになっている。

遠くの雲を眺めてみる。変わっていく姿を見る。
山のように盛り上がっているところを見る。
すると、時間はいっときも留まらずに流れていることを体が思い出す。
そして神聖な気持ちになる。

全てが枯葉のように舞っているだけ、

そして落ちたところからまたいろいろなことが始まる。

それはあたりまえのことだと思えたら、執着は消える。

ここにいたいとか、あそこはよかったなあとか、そういうことをしみじみ

そういう全てを

そこから人生が大きく広がっていく

ととは別に、

事実として受け止められたら、

のあるものはしっかり手元に残る。

もし革靴や革のバッグを身につけていないときに大雨に降られたら、
そしてもし傘を持っていなかったら、傘を買わずに思い切って
堂々と濡れて帰ってみる。靴の中まですぶ濡れになっても、
人が気の毒そうにこちらを見ても、一切気にしない。
そして家に帰ったら全部服を脱いで、熱いシャワーを浴びて、
頭にタオルを巻いたまま温かい飲みものを飲む。
なにかがいっしょに洗い流されたように、
すっきりとして豊かな気持ちになっているはず。

自分にとってなんの妥協もなく大切な人を、

どうして大切と思うようになったのかよく遡ってみる。

そこにどんなにたくさんの宝のような思い出が潜んでいるかに気づく。

急に人生の価値そのものが迫ってくるので、

そのありがたみをふんわりと抱く。

ぎゅっと抱いたり泣いたりすると逃げてしまうので、

流す感じにする。すると力はふわふわとまわりに留まってくれる。

吐く息がしっかり吐けていないと、吸う息がちゃんと入ってこない。
あらゆることがこのことと同じだと気づく。
それだけのことを理解するだけで、人生の荷物はうんと軽くなる。

対価がちょうどいいもの以外は、自然界には存在しない。
時間をかけて返したり返されたりするものもあるけれど、
だいたい帳尻が合うようになっている。
だからお金でも体力でも真心でも、なにかを使うときに
「ちょうどいいな」と思えないものにはすごく用心した方がいい。

意外なこと。飲んだことのないお茶を淹れて、
家の中のいつも座らない場所で飲む。
意外じゃないこと。冷蔵庫までだらだら歩き、
自分が手間をかけなくていいもの、たとえば取り出したコーラなど
いつもの飲みものをいつものコップでいつもの場所で、
いつもどおりだなあ、としみじみ飲む。
意識さえしていれば、意外にもどちらからも同じくらい、活気をもらえる。

朝露に濡れた草をイメージして、それを基準にして、スーパーで野菜を選ぶ。
もしイメージできなくなっていたら、庭でもいい、
近所の空き地でもいい、朝露に濡れた草を実際に見に行く。
予想よりずっとキラキラぷちぷちしていて、目の感覚がよみがえる。

腹がたったときほど、自分がなにを大切にしているのかがわかる。
それがなんなのかをしっかり確認する。
そして勇気を出して少しでも行動する。
大切にしているものがくれる力は、決しておかしな方向には導かない。

今体がほしいものは、ミントなのか？
にんにくなのか？朝鮮人参なのか？
梅干しなのか？みかんなのか？
風邪をひいたとき、体に聞いてみるとOリングテストをするまでもなく、
体がちゃんと教えてくれるので、よく感じてみよう。
さっきまでしょうがだったのに、今ははちみつ、ということもしょっちゅうある。
そんなふうに秒単位で調整してくれている体ってすごい、
と体を信じることができるようになる。

他人を巻き込まない、自分の中で解消する。そうつぶやいてみる。
もしもそのあとでしっかり他人を巻き込んでもめてしまったとしても、
きっとほんの少しだけ事態は軽くなったはず。
そういうのを積み重ねていくのが、大人になるということかもしれない。

からからに乾いた大地が水を吸って、植物の根に力を与え、
その写し絵みたいに葉っぱが水できらめく。
そんな雨の強い力を想像してみると、
じめじめして暗いだけと思っていた中に
実は地球の静かな力が満ちているのがわかる。
心の中が一層ぶん深く豊かになる。

草むしりをしながら、植え替えをしながら、
土の中に手を入れてその温かさを知る。
たくさんの微生物がそこで働いている。
気持ち悪いと最初思っても、だんだん手の方がなじんでいく。
自分も有機物なのだと理解する。

雨の日の窓ガラスには魔力がある。
感覚を甘く眠らせる力、音楽を聴いているように夢中になる雨粒の流れ。
じっと見ていると夢の中にいるような気持ちになる。
その夢の力を大切に持って家の中をゆっくり歩いてみる。
家にいられる幸せを甘く抱きしめてみる。

毎日少しずつ、そうじのしかたを変えてみる。
退屈しないためだけではない、見えないものが見えてくるから。
どういうふうにしたら床が心地よいと思ってくれるか、
どう磨いたら玄関の取っ手が輝いてくれるのか。
人だと思って扱ってみる。

まねをしたり同じブランドの服を買ったりするということではなく、センスに憧れる人の持ち物と同じ色や形のものを取り入れてみる。相手が芸能人などでなければ、そのことを告げてからするとなおいい。コメントを聞くとその人の魅力が新しい角度で見えてくるし、自分はそれをどういうふうに身につけるかという違いを見ると、自分の個性をも知ることができる。相手がどういう気持ちでどんなときにそれを買ったのか知るのも楽しい。まねをするなと怒るような人ならもう憧れなくてもいいし、気分良く話してくれるなら、ますます好きになれる。

静かに座って、小さなろうそくをつけてみる。
火をじっと見ていると、
炎のまわりに違う次元があるように感じられてくる。
心の中のほこりが確かに燃えて浄化されるのがわかる。
太古から人を惹きつけてやまない、そんな火の力を眺める。

ただいっしょにいるだけでいい。会話もいらない。同じ部屋にいて、
それぞれのことをしているだけで。
まさに今がそんなときだと思えることがあったら、
相手の人ににっこり笑いかけたり、
自分のを取りにいくついでに飲みものを取ってきてあげたり、
良い働きかけをしてみよう。

廃墟を眺めてみる。中に入る必要はない。ただじっと眺めてみる。
人が住んでいること、中で動いていることのすごさを思い知る。
自分の家から自分や家族がいなくなったら、
自然はすぐにその建物を自然に返し始める。その大きな力を真に理解する。

懐かしい街にはまだあの頃の自分が住んでいるみたいな気がするから、
時間があったら、たずねてみる。
あの頃よくごはんを食べた店や、お茶を飲んだ店がまだあったら、入ってみる。
自分の何が変わり、何が変わっていないかよくわかる。
変わったところは励まして、変わっていないところは慈しむ。
そんな時間を持つ豊かさを思う。

人の家に遊びに行って、自分の家にはなくてその家にあるものをよく観察してみる。違いが愛おしいし、自分の家もいっそう好きになる。もしも比べてうらやましく思うところがあるなら、自分の家をもっと好きになるように少しでも調整する。その違いが決して収入差の問題ではないことを深いところで知る。自分だけの家に仕上げれば全く同じことになることを。家族がいたらそれぞれの部屋はいじらないようにする。自分の場所とみなで使う場所だけ、理想に一歩でも近づける。

急に人生の流れが悪くなってきたとき、
海底の砂を這うイメージを持ってみる。
上のほうの水と太陽のキラキラには目もくれず、
一歩一歩。
呼吸をしに上がるときは、慎重に。
そのうちだんだん潮目が変わってくるのがよくわかる。

いつかだれかと森の中をただ歩いたことを、
枝や枯れ葉を踏む音が木々の中に響き渡って、
教会にいるように静かで神聖だったことを思い出そう。
心の中に鐘が鳴るみたいに、思い出が響き渡る。
その音色が心をきれいにする。

ベッドから出ていた足の裏に、
猫の小さな手がそっと触れた。
天使の羽が触れたかと思った、
そんなごほうびが今日どこにあったか、
探してみよう。
必ず見つかるのが、すごいところ。

ひとりで生まれて、ひとりで死んでいく。それが当然だからこ中でいろんな人とただすれ違うことが大きな宝なのだ。

好きな人のたてる生活の音は、なんで耳に心地よいのか。

子守唄のように心を鎮めてくれる。時にはその人の声以上に豊かに届く。

自分の愛する人と過ごしているとき、その人のたてる音をよく聞いてみる。

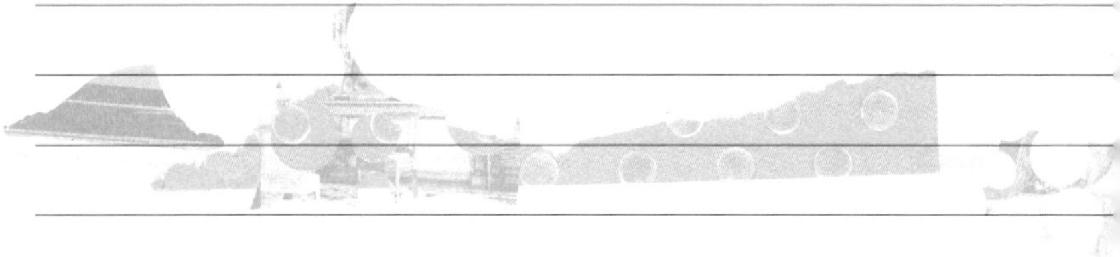

夕陽が落ちていくのをただただ見ていると、

その雲のめくるめく変化をずっと見ていると、

自分の中の1日がはっきりと終わる瞬間を見ることができる。

たまにそれをしないと、小さなバグがたまっていく。

今日は単なる1日、明日もいっしょ、そんなふうになったときこそ、

夕陽の色といっしょに地平線に溶けてみる。

夜中に怖い話を見るか聞くか読むかしてみる。
朝の光をこんなにありがたく思うことはないと、感じるはず。
荒療治だけれど、明るさの力を思い知り、
ちゃんと毎日太陽が昇ってくるこの世への感謝が湧いてくる。
同じことはひとりで田舎の古い宿に泊まっても起きるけれど、
あまりにも荒療治なのでよほど光や家族に感謝を持てなくなったとき用に。

痺れるくらい甘いものを、店を決めて友だちと食べにいく。
痺れるくらい辛いものでもいい。
その企画を話し合ってる間に、すでに元気になってくる。

瞑想までいかなくてもいい、
ただ目を閉じて横たわってみる。
寝てしまったらそれはそれでいい。
頭を空っぽにして、
心臓や脳を休ませてあげる。
そんな時間が5分でもあったら、
そのあとの時間、心臓や脳は
フルでがんばってくれるはず。

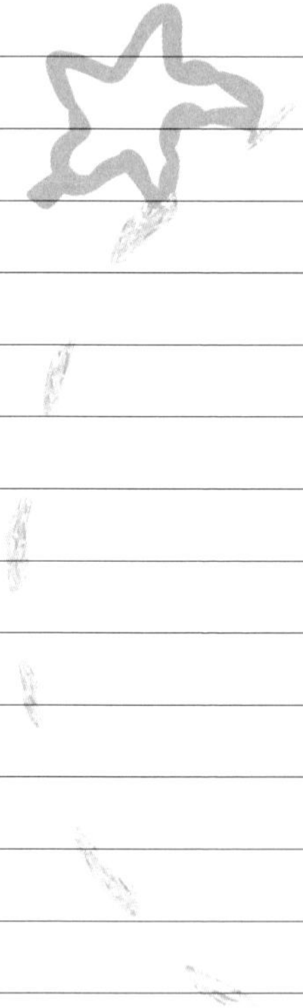

力がどこから生まれてくるか、
体の中をじっと観察してみる。
たいていお腹のあたりにそれはあるはずだ。
それが心臓のポンプの手伝いで体をめぐっていくのを感じる。
いつかそれが止まる日が来ることを実感して、
体の愛おしさを味わう。

粗塩を大胆に使って、体中を洗う。
ゴシゴシこすると痛いから、
そこそこ水に溶かしながら、
そっと、でもまんべんなく。
足の裏はゴシゴシこすってもいい。
そしてお湯ではなく水に近い温度のシャワーで
まんべんなく流す。
ローランド様が言ってるみたいに
「オーラも洗う」ようなイメージで。
そうとうにモヤモヤしていても
スッキリする秘伝。

足の裏全体をぺたりぺたりと大地につける感じで、
踊るように歩いてみよう。
数10メートルでいい。だれも見てないところで、でも家の中じゃだめ。
外でやるのが大切。空を見上げながら。

旅先で、いつもの生活がどれほど儚いものかを思う。
このまま自分がここで暮らし始めたら、

高くなくていい、一生ものじゃなくていい。
好きな色のスニーカーを買って、1年で履きつぶす勢いで履く。
とことん履く。
お別れのときに、何かとても大切なことに気づく。

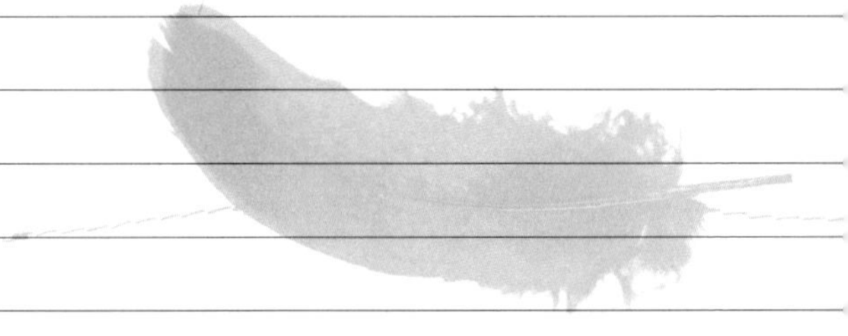

結婚指輪をいつもしているなら、1日だけ外して過ごす。
何に守られていて、何に縛られているか。
全部幻想で、自分はひとりで生まれ、ひとりで死んでいくことを知る。
指輪を交換した相手を含め、この人生を助けてくれた人たちが、
どんなにいるかを知る。

なんの下調べもしないで、誰にも合わせずにたったひとりで、
今開催されている美術展の中で気になるものにただ行ってみる。
良くも悪くも、思ったことを書いてみる。
同じようになんの下調べもしないで
タイトルだけで映画をひとつ決めて、その日のうちに観にいく。
当たっても外れても、感想を書いてみる。
それ以上に豊かな休日の過ごし方は、なかなかない。

旅行に行けない状況でも、
1週間の旅の荷造りをしてみる。
その工夫を実際にしてみると初めて、
日常も旅だということに気づく。
家がただの物置きではないことにもしっかり気づく。

家か家の近所に犬がいるなら、
いつもと違う知らない道をいっしょに散歩してみる。
見上げるそのまなざしで、
連れていってやってると思っていたのはおごりだったことを知る。
力を合わせて知らない道をいっしょにゆく。
小さい頃に友だちと冒険したときの気持ちが思い出される。

髪の毛をびっくりするほど違う形に切るか、
びっくりするような色に染める。
1日の予定をそれだけにする勢いで取り組む。
翌日からの周囲の反応に、人間関係の全てが入っている。

世界中にこんなにたくさんの浄化方法や気分を変える方法があるのに、
気分を悪いままにしておく自由まであるのだから、この世はすばらしいものだ。
そう思いながら、気分を変える方法をどれかしら試してみる。
鼻歌まじりに、お弁当屋さんでおかずを選ぶときみたいな気分で。

家中のコップやカップをていねいに洗って並べて拭く。
並べてしみじみ眺める。互いの歴史を。
そのあとに飲む飲みものがちょっとだけおいしく感じられる。

ふだんたくさん写真を撮る人は、今日だけ、ほんとうに撮りたいときしか写真を撮らないようにする。

自分がどんなときを大切にしているかすぐわかる。

逆にふだん写真を撮らない人は、ちょっと心動いたら即、写真を撮ってみる。

いっぺんに眺めて、自分の中にすてきなものがいっぱいたまっていることを知る。

できなくなったことだけ数えるのではなくて、
できるようになったことを数えてみる。
そこから一歩一歩じわじわ気持ちを広げていく。
そしてそこに潜む夢の息吹を全身で感じる。

ご機嫌でいること、それが世界に対する感謝を表現する唯一の方法。
目をぎゅっと閉じて、手をぐっと合わせて祈ることでは決してない。
機嫌よく、笑顔で、いつも楽しいことを探している人のことを、神様はすぐに見つける。
そこから出ている美しい波長は遠くにいる仲間にもしっかり届く。
草も木も空も喜ぶ。いいことしかない。
だからと言って、ムカッときたときに「くっそ〜!」と言ったりすることが不機嫌とは限らない。
機嫌よさに通じるはしごなら、天は大目に見てくれる。その考えこそが上機嫌な人のもの。

OK

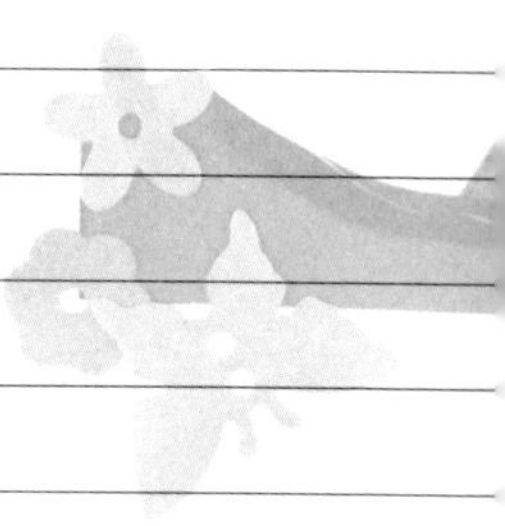

真冬の寒さの中を、薄着で歩いてみる。
タンクトップとかでなくてもいい。ちょっと薄いな程度の服で。
早足で歩いているうちに、だんだん体が温かくなってくる。
ふだん忘れている自分の中の発電機の存在をリアルに知る。

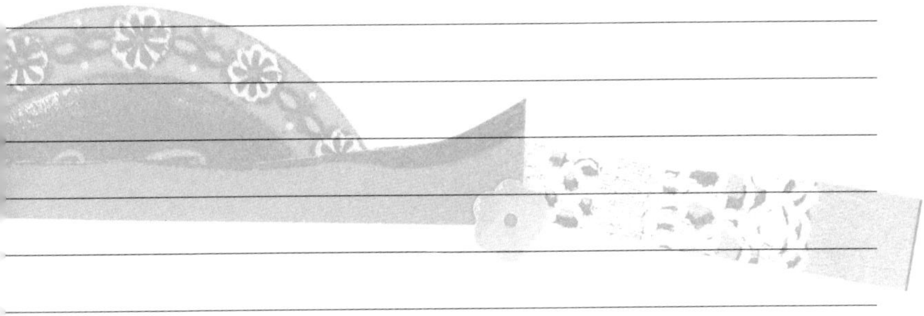

落ち葉がいっぱいある公園で、さくさくと落ち葉を踏んでみる。
気がすむまで歩き続けて、その音を聞く。
その音が耳の中にたまっていた不快な音をみんな消してくれる。

手ぶらで街を歩いてみる。ポケットにスマホと千円札１枚だけ。
急に地面が近くなり、嬉しい秘密を持っている人のように世界が楽しく見える。

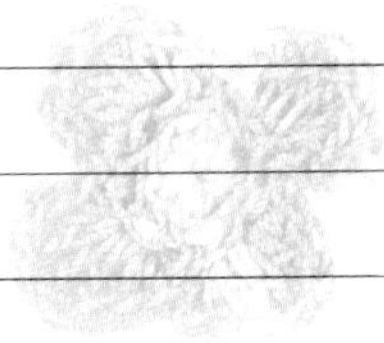

行ったことのない評判のいいレストランを予約してみる。
評判が良ければ、高くなくてもいい。
着ていく服を考える。履いていく靴を考える。
いっしょに行く人を考える。
楽しいことしかない時間をそうやって作る。
お店がハズレであっても、
その幸せだった時間がくれた力は誰にも奪うことができない。
いまいちだなあ、と思いながらもなるべくおいしく食べて、
次はどこにしようかと考えるのもまた良し。

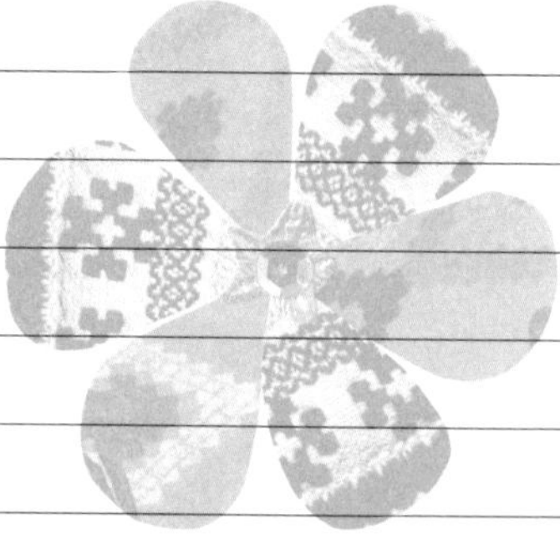

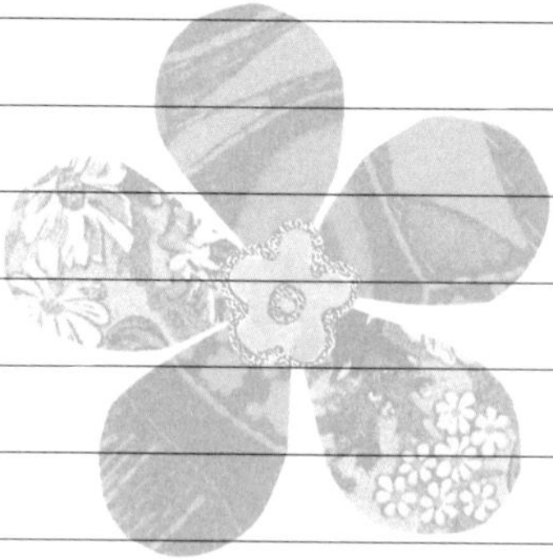

花の写真ばかりスマホで10枚撮ってみる。
小さな画面でいっぺんに眺めると、
世界がどんなにきれいな色を見せてくれているかよくわかる。

湯船の中で膝を立てて、足を開いたり閉じたりして波を作る。
子どものときよくやったよなと思いながら。
ざっぷんざっぷんいってお湯が溢れるまで思い切りやる。
子どもの頃の力が、体の奥底から立ち上がってくる。

10年前の写真をしみじみ眺めてみる。

歳を重ねて見苦しくなったというだけでは

今の自分を10年後に見たら、どんなにたくさんのことを言ってあげたくなるか、考える。

かを得ていることに気づく。

人生の良き側面を見せてくれる小さなそしてパワフルな作業。

新しいＴシャツを３枚だけ買おうと決めて、
街に出ていく。
その小さな旅にはいろんな冒険があるだろう。
思った以上に疲れ、そして楽しく、
自分の好きなものがよくわかるだろう。
そのＴシャツを見るたびに、
その１日の冒険を思い出すだろう。

今日起きたことが、
なにからつながってそうなったのか、
じっくりとひもといてみる。
たとえば転んだとする。
　原因は合わないサンダルを突っかけて
　出てきてしまったから。
どうしてそのサンダルを履いた？
　あわてていたから。
なんであわてた？
　朝見たメールにややこしいことが書いてあって、
　時間を思いの外取られたから。
なんでそのメールに朝のうちに返信しなくてはと思った？
　相手との関係が微妙で引きずりたくなかったから。
なんで微妙になった？
　前にめんどうなことを頼まれていやいややったから。
そんなふうに、なににでも原因はある。
それは一見そうと見えることではなく、
小さなことから始まっている。
それがわかれば、怖いことは減っていく。

その人の手と文字には、その人の力の形がみんな出ている。
だからじっと見つめて、その人の全てを心に刻み込もう。
出会ったことの良き意味がしみてくるまで。

寝不足でなければ、たいていのことは楽しめる。

寝すぎると、たいていのことがだるくなる

そのふたつは実際には正反対なのに体にとっては全く同じ意味を持っている

自分をとおしてその日に書きつけられたのだ

それはいつのことだったのか、

いろんなことがみんなわかったとき、

1歩だけ自分自身に近づいている。

寝転んで、好きな曲を１曲だけ、
ぼんやりとただ聴いてみる。

腹ペコのときに、立てひざをしてがつがつと、
シンプルなもの、例えば蒸した芋を食べてみる。
立ったままできゅうりに塩をつけて丸かじりする。
食べたものから力が直接入ってきて、
食べるのは少しの量でいいということがわかる。
なかなかに勇気のいることだけれど、やってみるとすごく気持ちがいい。

自分があまり好きではないなと思っている花を買ってくる。
そして好きではないなと思いながらも、
毎日水切りをして水を換えて世話をする。
枯れて捨てるときに、前よりも少しだけ嫌いじゃなくなったことを知る。
世界がほんの数ミリ広くなっている。
同じことを、嫌いな食べもの少量でやってみてもいい。
少しでも好きになれる食べ方を確認して、嫌いなままでも、
前よりはほんの少し受け入れられるようになるかもしれない。
好きになる必要はないというのが、この試みのいいところ。

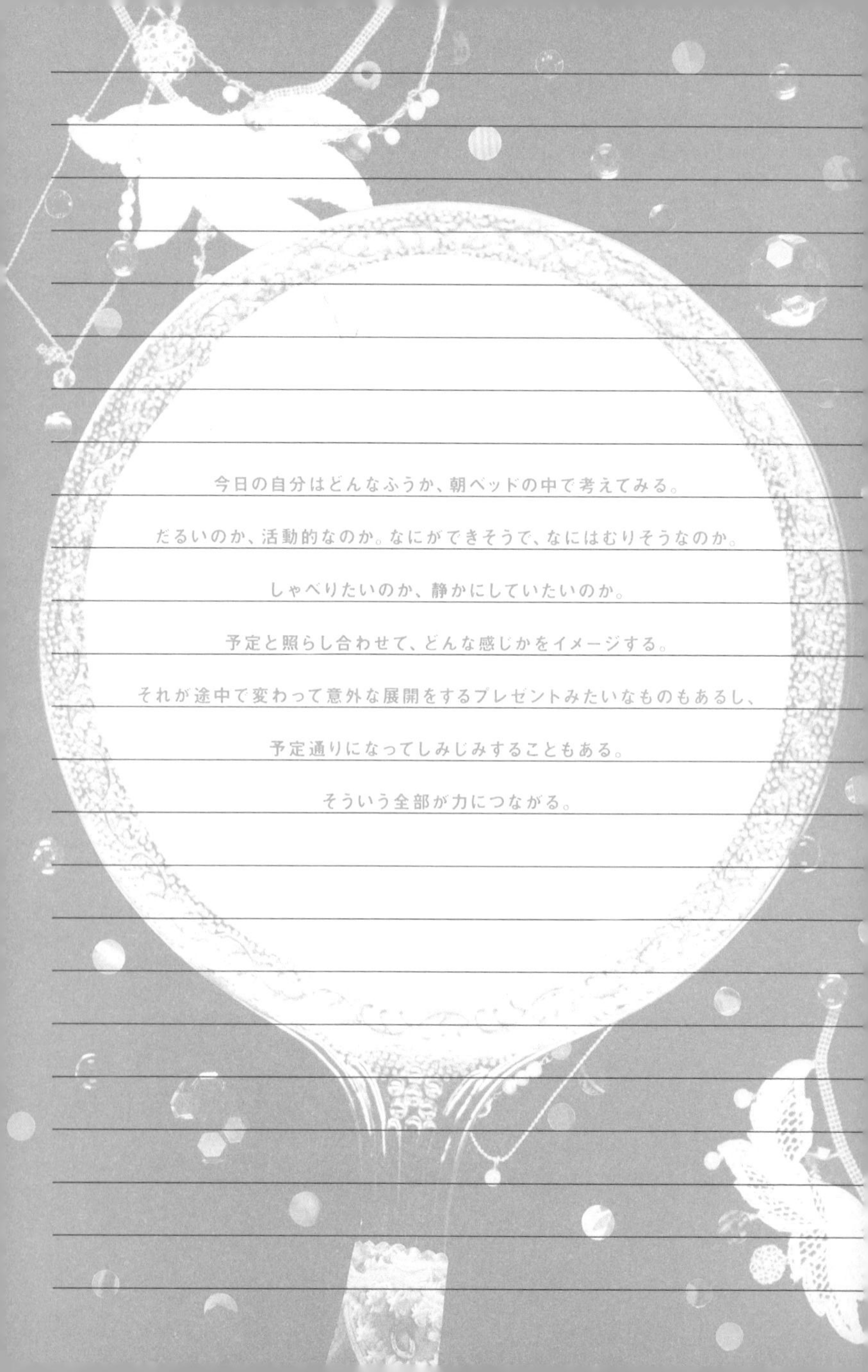

今日の自分はどんなふうか、朝ベッドの中で考えてみる。

だるいのか、活動的なのか。なにができそうで、なにはむりそうなのか。

しゃべりたいのか、静かにしていたいのか。

予定と照らし合わせて、どんな感じかをイメージする。

それが途中で変わって意外な展開をするプレゼントみたいなものもあるし、

予定通りになってしみじみすることもある。

そういう全部が力につながる。

なにもしたくないときは、ほんとうはなにもしなくていいときと言える。

もしむりをさせてしまうなら、体や脳

それなりに答えてくれるから、愛おしい。

めんとあやまろう。

同じように塩をなめても、甘いときとしょっぱいときと、
強すぎて体が受けつけないときがある。それくらい体調って違う。
冬にスイカを食べると体がびっくりする、それと同じくらいに。
どう感じるかに常に気づいていると、食事を力に変えられる。

力というのは戦車のように勢いよくバリバリいくだけのものではない。

ほんとうは静かで、気配もなく、

細胞の全てに深く清くしみわたっている、そういうイメージだ。

気に入った服だけ10着でこの季節を乗り切ろうと決めて、あれこれ考えてみる。
いらない服と大事な服のイメージがわかってくる。
タンスの中がいつのまにか変わってくる。あの有名な方法、
全部を山にしてときめく服を選ぶほど、
自分が研ぎ澄まされた状態にないなと思ったときは、それだけでもしてみると、
季節の過ごし方が「今」に焦点を合わせられるし優雅になる。

家にある道具で、
どうしてもしっくりこない、
好きになれないものを
見つけてみる。
間に合わせで買ったものとか、
大きさが合ってないものとか。
思い切って新しい、
しっくりくるものに変えてみる。
気に入っているけれど
どこかが少し壊れているから
引っかかるものなら、
修理する。
そんな小さな
引っかかりが
どんなに自分の力を
削いでいたかを知る。

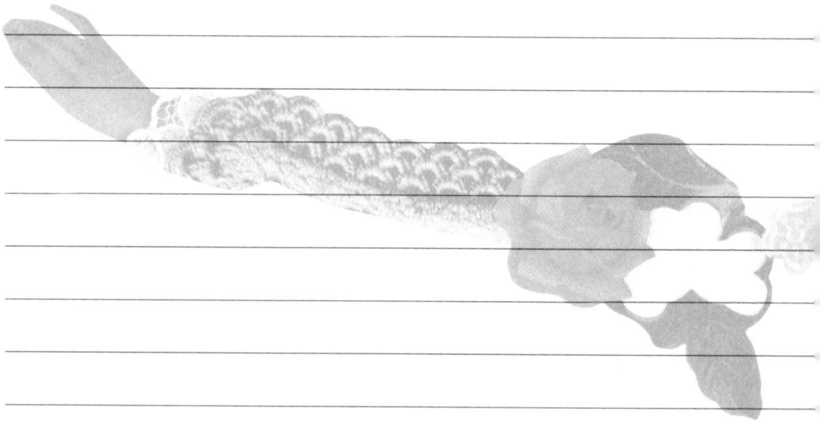

その日はじめて道で会った人に、にこっとするか、挨拶をしてみる。
できなかったらくよくよしないで「また明日やってみよう」と思う。
家を出るときの気合が変わるのがいちばんだいじなこと。

久しぶりに思い出す

ひんぱんに会

な人がふと頭をよぎったら、メールしてみる。

い人ほど、新鮮な空気を背負っている。

うんと時間があるできれば曇った日、
全くあせらずにそしてレンジの発酵機能を使わずに、
パンを焼いてみる。
こねて、寝かせて、形を作って、また寝かせて。
生きた酵母がふくらむところを見ると、
1日の時間がゆっくりと流れていたことを心地よく知る。
焼いていい匂いがしてきたら、なおさら。
もし失敗しても、いい匂いだけは受け取れる。
大失敗したら、のんびりとパンを買いに行く。
もうパンのお腹になっているから。

楽しいと思う力、楽しみにする力。そのこだわりは人生を回していく車輪だ。
これをしよう、と思ってわくわくすることならどんなことでもいい、絶やさずにしていく。
決まったものでなくていい。毎日変わってもいい。たまには不健康なことでもいい。
簡単なことだ。ストレスがかかったときだけ、楽しめる適切な量を人はオーバーしてしまう
ストレスに気をつけて、よく観察すると、今超えたな、という瞬間が必ずある。
そのあとにする行動には少し気をつける。行き過ぎないように。それだけのことだ。
問題なのは楽しみの手段のほうではないことを学ぶ。

夜のあいだに見た広告やＴＶのＣＭで、
いちばん気になったものをその日か翌日に買って飲み食いしてみる。
どれだけ自分がそういうものに影響されているか、
あるいはされないことができるかを知る。
さらにそれがおいしかったら、もうけものだと思っていい。

寝込んでいるとき、それはもう相当に休みが必要だったときだ。
しかたないから、思い切り寝込む。
元気だったときにしていたことで、またしたいことを数える。
地を這うように、じりじり、時間を過ごす。ただやりすごしていく。
植物が枯れかけてしょぼんとなっていても、
やがて水を吸い上げて力強く立ち上がるように。
元気になったときの自分はパワーアップしているとイメージする。
そして治りかけがいちばん肝心だから、今の自分の状態は、
やけどのあとの柔らかい皮膚みたいなものなんだと思って、そうっと過ごす。
赤ちゃんからのスタートで、人生の行動をひとつ、またひとつと取り戻すみたいな感じで。

日焼けとか美白とか、そういうことをしばし一切忘れて、
公園や屋上や川べりで大の字になって、日光に顔や体や手のひらをさらしてみる。
すみずみまでしみわたる光の力をチャージする。
自分はこの光がなかったら地上で生きていけない生きものだということを、
深くかみしめる。地上に、地中に、
水中にいる全ての生きものがそうなんだと知る。

１週間だけヴェジタリアンになってみる。
逆の人は１週間だけ肉を食べてみる。
驚くほどたくさんのことを体が語ってくれる。
食べものが自分を作っていることをほんとうに知るのは
だいたいその試みの３日後から１ヶ月後くらいの間。
知ったら、自分に合う生活に戻る。
たまに体にびっくりしてもらうのも、いいものだと知る。

その季節のいちばん好きな花を1本だけ買って帰り、枯れるまで飾る。
次は同じ花を同じ色で10本買って、枯れるまで飾る。
いろんな花の色が組み合わさった花束の華やかさを懐かしく思う。
好きな花だけがそこにあることの清さも知る。
それが分量によって自分の中でどう変わるのかも知る。

力をくれる言葉たち　　　　吉本ばなな

１年使っていると、手帳はヨレヨレになる。
でもそれは大切ななにかを刻んだヨレヨレだから、体の一部のように愛おしい。
二度とは戻ってこない人生のとき。痛く、甘く、切ない記憶たち。いつか、スケジュール帳を使えなくなる日が、読み返しても記憶が生き生きと湧いてこなくなる日が来る。愛おしくてずっと続くと思っていたこの人生が、終わる日が、必ず来る。誰しもに平等に。
よけいなことをしてるひまはない。いやな予定を書き込んでいるひまはない。そしていやな予定の日だって、少しでも面白く終えないともったいない。

お金に換算したとして、ここに書かれている小さな力たちは一千万円とかの価値ある方法ではないだろうと思う。
きっとひとつ数百円くらい。
でも忘れてはいけない、大きなお金は小さいお金の集積なのだ。
あるとき急にジャンプして、大きいお金に変わる。
それと同じで小さな力を意識していくと、いつのまにか自分がとてつもなく強くなっていることに気づく。それを財産と呼ばずしてなんと呼ぼう。

小さな力は大きな力の前には、いつでも取るに足らないものに見えるかもしれない。
でも、その日温めた手は、輝いた瞳は、大地を踏みしめて踊った足は、喜びの感情と共に、あなたと仲間をつなげるだろう。
小さな力をブタの貯金箱に貯めて、貯めて、貯めて。
いつか仲間に会いに行こう。自由に空を飛んで。
生きてさえいれば、必ず会える。
淋しく悲しい気持ちのときほど、小さな力の炎で頬を赤く照らそう。

吉本ばなな
1964年東京都生まれ。日本大学藝術学部文芸学科卒業。
87年『キッチン』で第6回海燕新人文学賞を受賞しデビュー。
89年『キッチン』『うたかた／サンクチュアリ』で第39回芸術選奨文部大臣新人賞、
同年『TUGUMI』で第2回山本周五郎賞、95年『アムリタ』で第5回紫式部文学賞、
2000年『不倫と南米』で第10回ドゥマゴ文学賞を受賞。
著作は30か国以上で翻訳出版されており、海外での受賞も多数。
noteにて配信中のメルマガ「どくだみちゃん と ふしばな」をまとめた文庫本も発売中。

カバー・本文アートディレクション　中島英樹
デザインアシスタント　泉 美菜子（中島デザイン）
カバー・本文コラージュ　桜井由佳（wool, cube, wool!）
コラージュ撮影　嶋本麻利沙

本作は書き下ろしです。
祝日法などの改正により、祝日・休日が一部変更になることがあります。

BANANA DIARY 2021-2022　力をくれるもの
2020年12月10日　第1刷発行

著　者　吉本ばなな
発行人　見城 徹
編集人　石原正康
編集者　壷井 円

発行所　株式会社 幻冬舎
〒151-0051 東京都渋谷区千駄ヶ谷 4-9-7
電　話　03(5411)6211（編集）
03(5411)6222（営業）
振替 00120-8-767643
印刷・製本所　株式会社 光邦

検印廃止

Printed in Japan
ISBN978-4-344-03719-9　C0095
幻冬舎ホームページアドレス　https://www.gentosha.co.jp/

この本に関するご意見・ご感想をメールでお寄せいただく場合は、
comment@gentosha.co.jpまで。